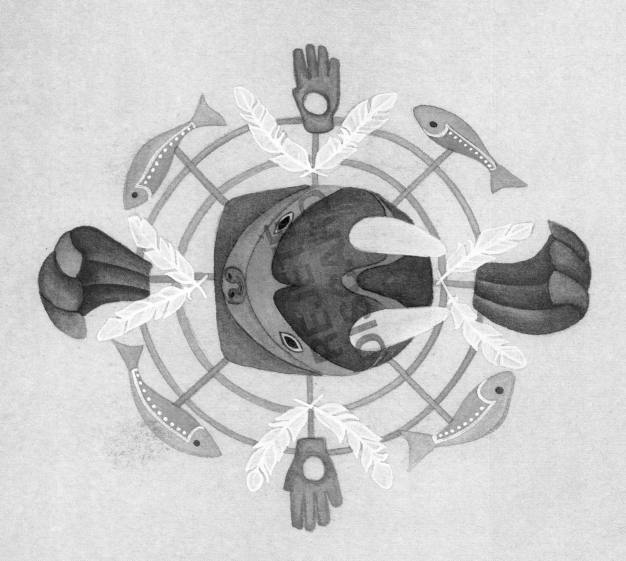

Pour le père José Valdez,
guide et ami
lors d'un voyage inoubliable.
Encore merci.

Barbara M. Joosse

Pour les enfants de l'Alaska
— en particulier Chip et Mark.

Barbara Lavallee

L'éditeur, l'auteur et l'illustratrice tiennent à remercier C. E. W. Graham, du musée McCord d'Histoire du Canada à Montréal, pour son aide patiente et chaleureuse. C'est à lui que ce portrait de la culture inuit de l'Alaska doit sa rigoureuse exactitude.

BEACONSFIELD
BIBLIOTHÈQUÈ • LIBRARY
303 Boul. Beaconsfield Blvd. Beaconsfield, PQ
H9W 4A7

Titre de l'ouvrage original :
MAMA, DO YOU LOVE ME ?
Éditeur original :
Chronicle Books, San Francisco, California, USA
Text copyright © 1991 by Barbara M. Joosse
Illustrations copyright © 1991 by Barbara Lavallee

All rights reserved.

Pour la traduction française :
© 1994 Père Castor Flammarion
ISBN 2-08-160844-8
Imprimé en Italie chez Vincenzo Bona, Turin - mars 1994
Dépôt légal : avril 1994
N° d'éditeur : 17585

Loi n° 49-956 du 16 juillet 1949 sur les publications destinées à la jeunesse

Maman, tu m'aimes ?

Barbara M. Joosse
illustrations de Barbara Lavallee

Texte français de Rose-Marie Vassallo

Père Castor Flammarion

BEACONSFIELD
BIBLIOTHÈQUE • LIBRARY
303 Boul. Beaconsfield Blvd . Beaconsfield P Q

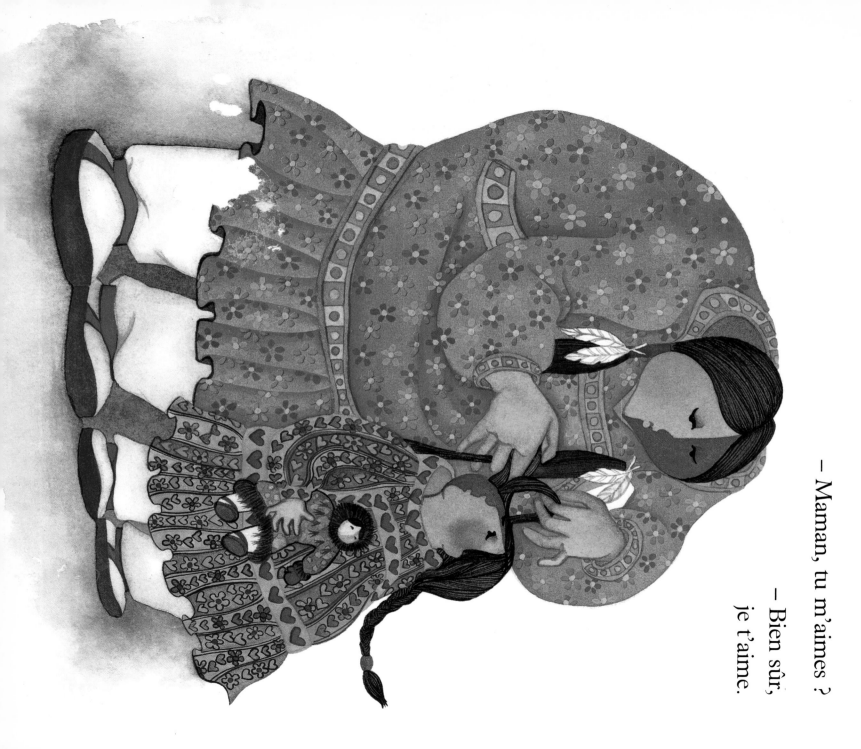

– Maman, tu m'aimes ?

– Bien sûr,
je t'aime.

Beaucoup
beaucoup ?

– Beaucoup beaucoup
et plus encore.
Plus que le corbeau
son trésor,

plus que le chien sa queue,
plus que la baleine ses nageoires.

– Tu m'aimeras toujours toujours ?

– Jusqu'au jour où
l'oumiak s'envolera
toward vers la lune,
où les étoiles
se feront poissons,
où le macareux
hurlera comme un loup.

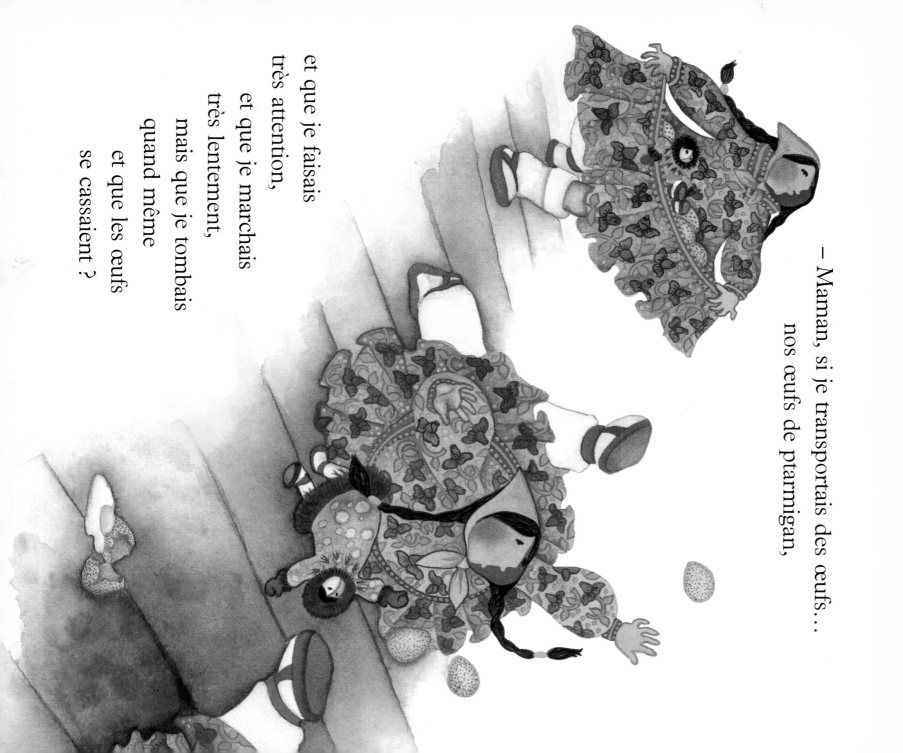

– Maman, si je transportais des œufs…
nos œufs de ptarmigan,

et que je faisais
très attention,
et que je marchais
très lentement,
mais que je tombais
quand même
et que les œufs
se cassaient ?

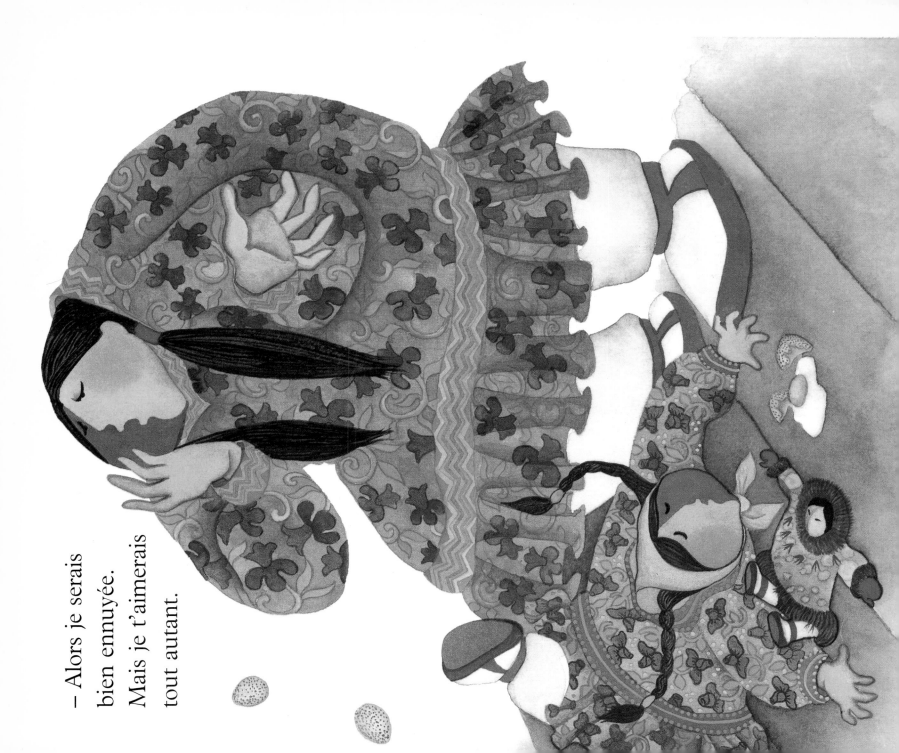

– Alors je serais
bien ennuyée.
Mais je t'aimerais
tout autant.

Et si je mettais
du saumon
dans les poches
de ta parka ?
Des hermines
dans tes moufles ?
Des lemmings
dans tes mouklouks ?

– Alors je me fâcherais.

— Et si je jetais
de l'eau sur la lampe ?
— Alors je me fâcherais
tout rouge.
Mais je t'aimerais
quand même.

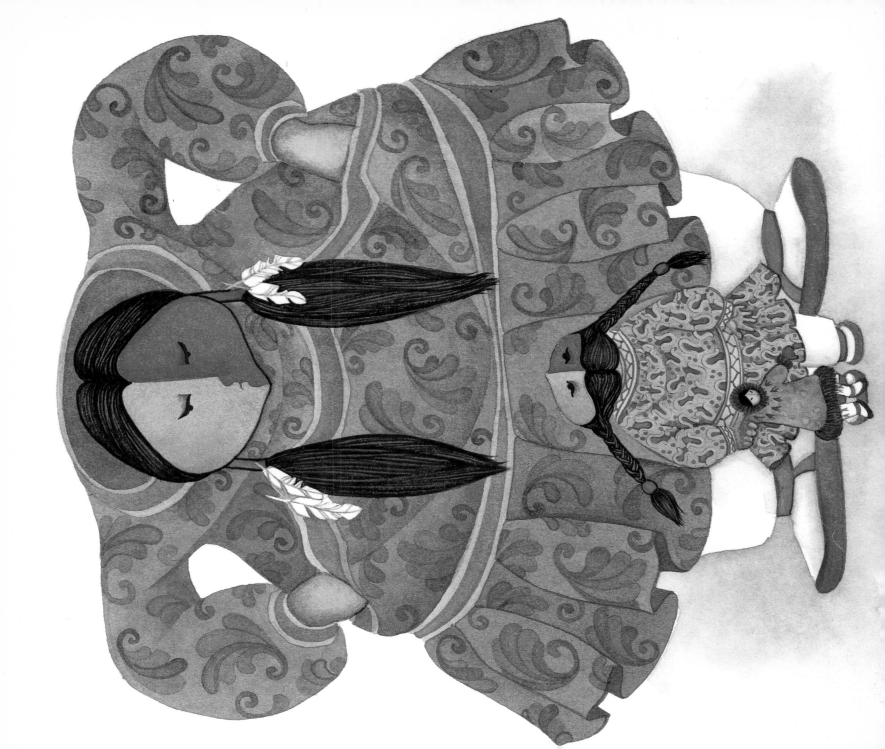

– Et si
je m'échappais
de chez nous ?
– Alors je me ferais du souci.

– Et si je ne revenais pas ? Si je m'installais
dans une caverne pour chanter avec les loups ?

– Alors je serais très triste.
Mais je t'aimerais quand même.

– Et si je me changeais
en bœuf musqué ?
– Alors je serais surprise.

– Et si je me changeais en morse ?

– J'aurais
un peu peur,
aussi.

Et si je me changeais
en ours blanc,
le plus féroce
de la terre entière,

avec des dents pointues, pointues,
et que je te courais après,
et que tu rentrais
dans la tente en hurlant ?

Alors je serais très surprise,
et j'aurais très peur aussi.

Mais malgré tout, *in spite of all*
sous ta peau d'ours, *under* *bear* *skin*
tu serais toi
et je t'aimerais.

Je t'aimerai toujours,
toujours, encore
et encore et toujours,
parce que tu es
mon enfant
à moi.

On les appelle les Esquimaux, mais les natifs du Grand Nord se nomment plutôt eux-mêmes les Inuit (prononcer Inouïte), c'est-à-dire "le peuple". (Un individu est un Inuk.) Les Inuit forment en fait des groupes humains très distincts ayant chacun sa langue, ses propres traditions. La plupart habitent les régions arctiques, proches du pôle Nord. Non seulement il y fait très froid mais encore, en hiver, le soleil ne se lève pas durant de longues semaines. En été, en revanche, durant de longues semaines, il n'effleure l'horizon que pour remonter peu après, sans disparaître. Le Groenland, l'Alaska, le nord du Canada et de la Russie font partie des régions arctiques.

Les Inuit de ce récit habitent le nord de l'Alaska, où vivaient déjà leurs ancêtres voilà plus de 9 000 ans. Dans cette région, il n'y a pas de ville et presque pas de routes. Cet album montre comment vivaient les Inuit il y a 30 ou 40 ans. De nos jours, leur mode de vie ressemble davantage au nôtre, même si, sur certains aspects, il n'a pas changé du tout.

Baleine • On dirait un poisson géant mais c'est un mammifère. La baleine bleue et la baleine du Groenland (celle de l'image) sont désormais protégées mais les Inuit pêchent deux autres cétacés, l'orque et le béluga — précieux pour leur chair et surtout pour leur graisse, aliment et combustible à la fois. La pêche au cétacé a lieu en été, lorsque la glace se brise et libère la voie aux oumiaks.

Bœuf musqué • Il ressemble un peu au bison, et vit en petits troupeaux qui parcourent la toundra depuis la préhistoire. Au printemps, sa mue fournit aux Inuit une laine idéale pour confectionner toutes sortes de vêtements.

Chien • Jadis le traîneau était le seul moyen de transport, et le chien de traîneau le seul "moteur". Aujourd'hui, de nombreux Inuit ont adopté la motoneige.

Corbeau • Oiseau de contes dans le monde entier, le corbeau est pour les Inuit plus spécial encore : selon certaines croyances, les âmes des morts réapparaîtraient sous forme de corbeaux. Tuer un corbeau porte malheur. Présent toute l'année, le corbeau est l'oiseau le plus commun de l'Alaska.

Hermine • Petit mustélidé à queue courte apparenté à notre belette, l'hermine devient blanche en hiver, à l'exception du bout de sa queue.

Igloo • Mot inuit signifiant maison. Dans le Grand Nord, le bois est rare, faute d'arbres : l'ensoleillement est trop faible pour eux. Comme la pierre manque aussi, enfouie qu'elle est sous la croûte gelée, les Inuit de certaines régions bâtissent des habitations de neige tassée appelées "igloo". Mais pour les Inuit d'Alaska ce genre de construction sert de hutte de chasse. L'hiver, ils logent dans des abris en partie enterrés, bâtis avec du bois d'épave, des os de baleine, des mottes d'herbe. L'été, ils vivent sous la tente. De nos jours, beaucoup d'Inuit vivent dans des constructions modernes.

Lampe • Naguère, dans un foyer inuit, on veillait farouchement sur la lampe, objet vital entre tous. Elle réchauffait la pièce unique, servait à cuisiner, à faire fondre la neige qui fournissait l'eau de boisson, à sécher le linge. Souvent faite d'une pierre évidée, elle était emplie de graisse de baleine et munie d'une mèche de lichen ou de mousse.

Lemming • Ces petits rongeurs, très répandus en Alaska, se creusent des terriers profonds à l'abri du froid, parfois sous la neige et la croûte gelée. En hiver, leur pelage brun devient blanc. Ce sont les seuls rongeurs à changer de couleur.

Loup • Les loups vivent et chassent en meute, sous la conduite d'un chef. Ce sont des parents attentifs qui jouent avec leurs petits.

Macareux • Petit oiseau de la famille des pingouins, il vit en colonies, sur des falaises dominant la mer, tant en Alaska qu'au Canada, au Groenland… et en Bretagne nord où il niche au printemps sur les îles. Mal équipé pour la terre ferme (il ne se pose d'ailleurs que sur l'eau, à la rigueur sur l'herbe molle), c'est en revanche un fameux plongeur, ses petites ailes robustes lui servant de nageoires. Orange vif au printemps, son bec redevient gris en hiver.

Masques • Pour les Inuit, le guérisseur dialoguait avec les esprits. À cette fin, il changeait de masque selon les cérémonies. De nos jours encore, des artistes inuit confectionnent des masques, mais seulement comme objets de décor.

Moufle • Indispensables, bien sûr. Lorsqu'un Inuk fait halte en plein air, il retire ses moufles, s'assied dessus — et rentre les mains dans ses manches.

Morse • Parent du phoque, ce mammifère vit sur les glaces flottantes, îlots de glace épaisse couvrant parfois des kilomètres carrés. Avec ses défenses, le morse fouille la vase du fond marin, et ses moustaches l'aident à localiser ses proies. Ses défenses lui servent aussi à briser la glace, à guider ses petits, à se battre avec ses congénères et… à se déplacer sur la glace. Son nom de famille, Odobénidé, signifie d'ailleurs "celui qui marche avec ses dents". Les Inuit consomment sa viande, et sa peau sert de toile à bateau.

Mouklouks • Bottes de fourrure. L'intérieur était jadis garni de mousse — de nos jours remplacée par de la banale feutrine.

Oumiak • Sorte de grand kayak à charpente en os de baleine sur laquelle sont tendues des peaux. L'oumiak sert aux déplacements et à la pêche.

Ours blanc • C'est le plus gros des ours. Il vit tout au nord, sur les glaces flottantes où sa fourrure se confond avec le paysage. Les Inuit le nomment Nanouk. C'est l'animal le plus dangereux du Grand Nord.

Parka • Ce vêtement familier nous vient en direct des Inuit. Une parka de femme a le dos ample : c'est pour y loger bébé.

Ptarmigan • Nommé aussi lagopède, ce volatile a des plumes aux pattes qui lui font de grosses chaussettes. En période de ponte, la poule pond un œuf par semaine — précieux aliment pour les Inuit. Le lagopède des saules est l'oiseau emblème de l'Alaska. Comme sa cousine, la perdrix des neiges, il devient blanc en hiver.

Saumon • Une variété de saumon remonte à la belle saison les cours d'eau de l'Alaska. Les Inuit pêchent le saumon et le conservent pour l'hiver, fumé, séché ou "surgelé" dans la croûte supérieure du sol, gelée en permanence.

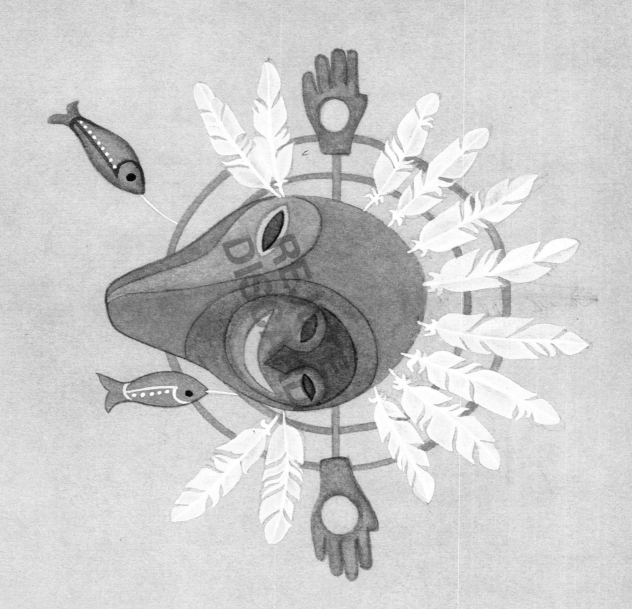

COLLECTION POUR L'HEURE
DU CONTE RETOURNEZ S.V.P.
À LA SECTION JEUNESSE